在中华人民共和国恢复联合国合法席位50周年纪念会议上的讲话

（2021年10月25日）

习　近　平

人 民 出 版 社

在中华人民共和国恢复联合国合法席位50周年纪念会议上的讲话

（2021年10月25日）

中华人民共和国主席　习近平

尊敬的古特雷斯秘书长，

各位驻华使节和国际组织驻华代表，

女士们，先生们，

朋友们，同志们：

50年前的今天，第二十六届联合国大会以压倒性多数通过第2758号决议，决定恢复中华人民共和国在联合国的一切权利，承认中华人民共和国政府代表是中国在联合国的唯一合法代表。这是中国人民的胜利,也是世界各国人民的胜利!

今天,在这个特殊的日子里,我们汇聚一堂,回顾历史,展望未来,很有意义。

新中国恢复在联合国合法席位,是世界上的一个大事件,也是联合国的一个大事件。这是世界上一切爱好和平和主持正义的国家共同努力的结果。这标志着占世界人口四分之一的中国人民从此重新走上联合国舞台。这对中国、对世界都具有重大而深远的意义。

在这里,我谨代表中国政府和中国人民,向联合国大会第 2758 号决议所有提案国和支持国,表示衷心的感谢!向一切主持正义的国家和人民,致以崇高的敬意!

女士们、先生们,朋友们、同志们!

新中国恢复在联合国合法席位以来的 50 年,是中国和平发展、造福人类的 50 年。

——这 50 年,中国人民始终发扬自强不息精神,在风云变幻中把握中国前进方向,书写了中国以及人类发展的壮阔史诗。在新中国成立以来国家建设和发展的基础上，中国人民开启了改革开放历史新时期，成功开创和发展中国特色社会主义，不断解放和发展社会生产力，不断提高生活水平，实现了从生产力相对落后的状况到经济总量跃居世界第二的历史性突破。经过艰苦奋斗，中国人民用自己的双手在中华大地上实现了全面建成小康社会的目标，打赢了脱贫攻坚战，历史性地解决了绝对贫困问题，开启了全面建设社会主义现代化国家新征程，迎来了中华民族伟大复兴的光明前景。

——这 50 年，中国人民始终同世界各国人民团结合作，维护国际公平正义，为世界和平与发展作出了重大贡献。中国人民热爱和平，深知和平安宁的珍贵，始终奉行独立自主的和平外交政策，主持公道，伸张正义，坚决反对霸权主义和强权政治。中国人民坚定支持广大发展中国家维护自身主权、安全、发展利益的正义斗争。中国人民致力于推动共同发展，从“坦赞铁路”到“一带一路”，向发展中国家提供力所能及的帮助，不断以中国发展为世界提供新机遇。在新冠肺炎疫情席卷全球的危难之际，中国积极同世界分享防控经验，向各国输送了大批抗疫物资、疫苗药品，深入开展病毒溯源科学合作，真诚为人类彻底战胜疫情而积极努力。

——这50年，中国人民始终维护联合国权威和地位，践行多边主义，中国同联合国合作日益深化。中国忠实履行联合国安理会常任理事国职责和使命，维护联合国宪章宗旨和原则，维护联合国在国际事务中的核心作用。中国积极倡导以和平方式政治解决争端，派出5万多人次参加联合国维和行动，已经成为第二大联合国会费国、第二大维和摊款国。中国率先实现联合国千年发展目标，带头落实2030年可持续发展议程，对世界减贫贡献超过70%。中国始终遵循联合国宪章和《世界人权宣言》精神，坚持把人权普遍性同中国实际结合起来，走出了一条符合时代潮流、具有中国特色的人权发展道路，为中国人权进步和国际人权事业作出了重大贡献。

女士们、先生们，朋友们、同志们！

世界潮流，浩浩荡荡，顺之则昌，逆之则亡。过去50年，尽管国际形势跌宕起伏，但在世界各国人民共同努力下，世界总体保持稳定，世界经济快速发展，科技创新日新月异，一大批发展中国家成长壮大，十几亿人口摆脱贫困，几十亿人口不断走向现代化。

当前，世界百年未有之大变局加速演进，和平发展进步力量不断增长。我们应该顺应历史大势，坚持合作、不搞对抗，坚持开放、不搞封闭，坚持互利共赢、不搞零和博弈，坚决反对一切形式的霸权主义和强权政治，坚决反对一切形式的单边主义和保护主义。

——我们应该大力弘扬和平、发展、公平、正义、民主、自由的全人类共同价值，共同为建设一个更加美好的世界提供正确理念指引。和平与发展是我们的共同事业，公平正义是我们的共同理想，民主自由是我们的共同追求。世界是丰富多彩的，多样性是人类文明的魅力所在，更是世界发展的活力和动力之源。“非尽百家之美，不能成一人之奇。”文明没有高下、优劣之分，只有特色、地域之别，只有在交流中才能融合，在融合中才能进步。一个国家走的道路行不行，关键要看是否符合本国国情，是否顺应时代发展潮流，能否带来经济发展、社会进步、民生改善、社会稳定，能否得到人民支持和拥护，能否为人类进步事业作出贡献。

——**我们应该携手推动构建人类命运共同体，共同建设持久和平、普遍安全、共同繁荣、开放包容、清洁美丽的世界**。人类是一个整体，地球是一个家园。任何人、任何国家都无法独善其身。人类应该和衷共济、和合共生，朝着构建人类命运共同体方向不断迈进，共同创造更加美好未来。推动构建人类命运共同体，不是以一种制度代替另一种制度，不是以一种文明代替另一种文明，而是不同社会制度、不同意识形态、不同历史文化、不同发展水平的国家在国际事务中利益共生、权利共享、责任共担，形成共建美好世界的最大公约数。

——**我们应该坚持互利共赢，共同推动经济社会发展更好造福人民**。中国古人说："为治之本，务在于安民；安民之本，在于足用。"推动发展、安居乐业是各国人民共同愿望。为了人民而发展，发展才有意义;依靠人民而发展,发展才有动力。世界各国应该坚持以人民为中心,努力实现更高质量、更有效率、更加公平、更可持续、更为安全的发展。要破解发展不平衡不充分问题,提高发展的平衡性、协调性、包容性。要增强人民发展能力,形成人人参与、人人享有的发展环境,创造发展成果更多更公平惠及每一个国家每一个人的发展局面。不久前,我在第七十六届联合国大会上提出全球发展倡议,希望各国共同努力,克服新冠肺炎疫情对全球发展的冲击,加快落实 2030 年可持续发展议程,构建全球发展共同体。

——我们应该加强合作,共同应对人类面临的各种挑战和全球性问题。地区争端和恐怖主义、气候变化、网络安全、生物安全等全球性问题正摆在国际社会面前,只有形成更加包容的全球治理、更加有效的多边机制、更加积极的区域合作,才能有效加以应对。气候变化是大自然对人类敲响的警钟。世界各国应该采取实际行动为自然守住安全边界,鼓励绿色复苏、绿色生产、绿色消费,推动形成文明健康生活方式，形成人与自然和谐共生的格局，让良好生态环境成为可持续发展的不竭源头。

——我们应该坚决维护联合国权威和地位，共同践行真正的多边主义。推动构建人类命运共同体，需要一个强有力的联合国，需要改革和建设全球治理体系。世界各国应该维护以联合国为核心的国际体系、以国际法为基础的国际秩序、以联合国宪章宗旨和原则为基础的国际关系基本准则。国际规则只能由联合国193个会员国共同制定，不能由个别国家和国家集团来决定。国际规则应该由联合国193个会员国共同遵守，没有也不应该有例外。对联合国，世界各国都应该秉持尊重的态度，爱护好、守护好这个大家庭，决不能合则利用、不合则弃之，让联合国在促进人类和平与发展的崇高事业中发挥更为积极的作用。中国愿同各国秉持共商共建共享理念，探索合作思路，创新合作模式，不断丰富新形势下多边主义实践。

女士们、先生们，朋友们、同志们！

追昔抚今，鉴往知来。站在新的历史起点，中国将坚持走和平发展之路，始终做世界和平的建设者；坚持走改革开放之路，始终做全球发展的贡献者；坚持走多边主义之路，始终做国际秩序的维护者。

“青山一道同云雨，明月何曾是两乡。”让我们携起手来，站在历史正确的一边，站在人类进步的一边，为实现世界永续和平发展，为推动构建人类命运共同体而不懈奋斗！

谢谢大家。

图书在版编目(CIP)数据

在中华人民共和国恢复联合国合法席位50周年纪念会议上的讲话/习近平 著. —北京:人民出版社,2021.11
ISBN 978-7-01-024009-1

Ⅰ.①在… Ⅱ.①习… Ⅲ.①习近平–讲话–学习参考资料 ②中国在联合国席位问题–学习参考资料 Ⅳ.①D2-0 ②D822

中国版本图书馆CIP数据核字(2021)第231686号

(RMC-ZJDXI-117-20211025)

在中华人民共和国恢复联合国合法席位
50周年纪念会议上的讲话

ZAI ZHONGHUA RENMIN GONGHEGUO HUIFU LIANHEGUO HEFA XIWEI
50 ZHOUNIAN JINIAN HUIYI SHANG DE JIANGHUA

(2021年10月25日)

习 近 平

人民出版社 出版发行
(100706 北京市东城区隆福寺街99号)

北京新华印刷有限公司印刷 新华书店经销

2021年11月第1版 2021年11月北京第1次印刷
开本:880毫米×1230毫米 1/32 印张:0.5
字数:6千字

ISBN 978-7-01-024009-1 定价:2.00元

邮购地址 100706 北京市东城区隆福寺街99号
人民东方图书销售中心 电话 (010)65250042 65289539